SO-AVU-268

El monstruo de la realidad virtual

Dirección editorial: Patricia López
Coordinación de la colección: Karen Coeman
Cuidado de la edición: Pilar Armida y Obsidiana Granados
Diseño de portada: Maru Lucero
Formación: Zapfiro Design
Ilustración de portada: Jolanta Klyszcz

El monstruo de la realidad virtual

Texto D.R. © 2009, Jordi Sierra i Fabra

Primera edición: diciembre de 2009
D.R. © 2009, Ediciones Castillo, S.A. de C.V.
Insurgentes Sur 1886, Col. Florida,
Del. Álvaro Obregón,
C.P. 01030, México, D.F.

Ediciones Castillo forma parte
del Grupo Macmillan

www.grupomacmillan.com
www.edicionescastillo.com
infocastillo@grupomacmillan.com
Lada sin costo: 01 800 536 1777

Miembro de la Cámara Nacional
de la Industria Editorial Mexicana.
Registro núm. 3304

ISBN: 978-607-463-104-3

Impreso en México/*Printed in Mexico*

El monstruo de la realidad virtual

Jordi Sierra i Fabra

Castillo del Terror

1

Cuidado.

Ellos estaban por allí.

Cerca.

Podía intuirlos. No los olía porque los vampiros no olían a nada, pero sí se daba cuenta de su presencia, como si sus sentidos estuvieran más que alerta, al límite de su capacidad de reacción.

Corrió a resguadarse tras un bloque de metaplutonio sólido. Éste era verde, y su traje de comando especial era rojo, así que el contraste le pareció excesivo. Debía salir de allí.

Si alguno de los vampiros era un poco listo, le bastaría con ver su reflejo en los restantes bloques metálicos para descubrirlo.

Y si eso sucedía...

Dio un paso. Sólo uno.

¡Zum!

El disparo golpeó el suelo, a menos de un centímetro de su pie.

Imaginó que el responsable estaría ya apuntando hacia atrás, así que hizo lo que menos cabía esperar: saltar hacia delante. El segundo disparo taladró el espacio que acababa de abandonar.

Mientras rodaba por el suelo, descubrió la procedencia del disparo, su origen, y en el mismo momento de detenerse levantó su arma y el rayo láser, silencioso, verde y preciso, partió en busca del vampiro.

Lo vio caer, atravesado por el impacto, y luego desaparecer sin dejar rastro. Todo ello en una fracción de segundo, porque a la siguiente él tampoco estaba allí, sino oculto detrás de un nuevo bloque de metaplutonio.

Lo malo, en el fondo, no eran ellos, los diabólicos vampiros guerreros, sino el Gran Vampiro.

Estaría esperando, tranquilo. De todas formas tenía muchos vampiros para sacrificar si era necesario. No se molestaría en salir hasta que él estuviera agotado, o hasta que su arma quedara completamente descargada. Los problemas se sucedían, se añadían, se amontonaban. También debía medir el tiempo, su reserva de oxígeno, su capacidad de resistencia.

Lo comprobó en la pantalla del visor adosada a su casco. Su arma estaba a 67 por ciento. Suficiente. El tiempo era de 14 minutos con 30 segundos. Suficiente. Su reserva de oxígeno llegaba a 43 por ciento. Insuficiente. Su capacidad de resistencia, casi al máximo, estaba a 85 por ciento. También era suficiente. Así pues, el problema era el oxígeno. Respiraba demasiado rápido y con demasiada fuerza.

—Vaya —suspiró.

Miró hacia arriba y hacia los lados. Si tomaba impulso podría llegar al nivel superior, donde su perspectiva sería entonces muy diferente. Era cuestión de probarlo. Si le salía mal, lo único que perdería sería la vida.

Una vida.

Tampoco era tanto.

Sin riesgo no hay victoria.

Lo hizo. Tomó impulso y flexionó las dos piernas. Cuando saltó hacia arriba supo que lo iba a conseguir porque el salto fue perfecto, pero en el mismo momento en que salió de su escondite, los disparos le llegaron de todos lados. Bastante hizo con evitarlos antes de posar sus pies en el nivel superior y empezar a disparar como un loco.

Los vampiros guerreros caían como moscas. Él los barría con sus rayos láser con una pasmosa facilidad. No esperaban aquella artimaña, así que los tomó desprevenidos. Algunos trataban de avanzar porque en sus pequeñas mentes no estaba escrito que pudieran esconderse. Precisamente eso los hacía más vulnerables.

¿Dónde estaría el Gran Vampiro?

No quería acabar en sus garras, con sus grandes colmillos clavados en la piel, sintiendo cómo le sorbía la sangre.

El efecto era demasiado real.

Debió de eliminar a 100 o más vampiros, pero no pudo contarlos porque continuaban desvaneciéndose en cuanto tocaban el suelo, como si nunca hubieran existido.

Y al caer el último...

Todo aquel universo especial cambió: de violeta a amarillo.

De casi infinito a finito.

Del día a la noche.

Los bloques de metaplutonio se convirtieron en las paredes de una gran cueva, el suelo sintético se erizó de rocas, el aire se tornó denso, cargado de perspectivas sombrías, mil y un puntos fosforescentes salpicaron su entorno como si mil y un ojos brillantes lo estuvieran observando desde todas partes, rodeándolo, y el efecto fue todavía más fantástico porque del interior de la negrura, con el eco multiplicando su potencia, salió aquella voz.

La conocía.

No era la primera vez que se enfrentaba a él, aunque siempre sentía lo mismo.

La ansiedad del combate.

—Vas a morir, pequeño.

—¡Sal! —gritó él.

No tuvo que decírselo dos veces.

El Gran Vampiro, gigante como un rascacielos, asqueroso como un millón de arañas, y terrible como el más violento y cruel de los enemigos, se materializó ante él.

2

La batalla final.

Vencer o morir.

No esperó ni un segundo. Fue el primero en disparar. Sabía que estaba lejos y que sólo podía acabar con su enemigo acertándole entre los ojos; sin embargo, la ráfaga de disparos que le picoteaba todo el cuerpo obró el efecto de detenerlo, al menos lo suficiente para darle a él un tiempo precioso para organizarse.

El Gran Vampiro siempre aparecía al final en un lugar distinto, y la clave era situarse, estudiar el terreno, valorar cada posibilidad, porque el éxito dependía de su instinto y de cuanto pudiera aprovechar el entorno.

Bien, aquella cueva no parecía ofrecer muchas posibilidades.

—Beberé tu sangre y luego haré una estatua con tu pellejo —gritó su enemigo.

—¡Eres demasiado grande para conformarte con tan poca sangre!

El Gran Vampiro rio.

—Pequeño estúpido —lo provocó.

Volvió a dispararle.

Tenía que pensar, y rápido.

¿Habría por allí un lago?

Ésa era una de las posibilidades. La otra, abrir un agujero en la cueva y salir, aunque no siempre era fácil, y con su reserva de disparos cada vez más reducida...

Lo probó. Apuntó con su arma a la pared más cercana y puso el potenciómetro de intensidad expansiva al máximo. El disparo sonó como un trueno allí dentro.

Y aunque logró hacer un buen boquete en la pared, ésta no se abrió.

Y si gastaba todas sus reservas defensivas... seguramente moriría.

Miró su arma. Estaba a 52 por ciento. Decidió no intentarlo de nuevo.

El lago. Debía buscar el lago.

Si es que había un lago allí dentro.

El Gran Vampiro le cortaba el paso por delante, así que retrocedió. Protegiéndose con las rocas y corriendo encorvado para que el monstruo no lo fulminara con uno de sus rayos visuales, avanzó unos 20 metros. A su perseguidor le bastaba con dar dos pasos para cubrir la misma distancia, pero ése no era más que uno de los muchos problemas que debía afrontar.

—¡Ven aquí! —gritó el vampiro.

Y le arrojó un rayo visual que prácticamente quemó un cúmulo de rocas a su lado.

Tuvo suerte. El mismo efecto provocó que se abriera un agujero en el suelo. Al otro lado vio el lago. Era subterráneo. No lo hubiera encontrado jamás de no ser por aquello.

Su suerte aún contaba.

Se precipitó por el agujero y mientras caía, reguló los niveles de gravedad de sus botas para que el impacto fuera menor. Consiguió casi planear, de forma que llegó al suelo sin apenas notar el impacto. Por arriba vio al Gran Vampiro asomándose y mirando hacia abajo. Evitó otro rayo visual disparándole una andanada de rayos láser que lo obligaron a protegerse por si alguno, casualmente, le daba entre los ojos.

Él corrió hacia el lago.

Disponía de apenas dos o tres segundos para hacer todo: verse reflejado en el agua, solidificar esa imagen, apartarse para que el Gran Vampiro no sospechara, dejarse atrapar por él, morir dos veces y entonces...

Entonces la imagen del lago, es decir, él mismo, podría acercarse al monstruo y dispararle de cerca entre los ojos.

El mejor de los trucos.

No había sido fácil descubrirlo.

Se inclinó sobre el lago y se miró a sí mismo. Sonrió feliz. Luego accionó su conversor temporal y la imagen quedó fijada en el agua. Lentamente empezó a tomar forma. Era suficiente. Se dispuso a dar media vuelta para hacer caer al Gran Vampiro en la trampa.

Lo peor era dejarse matar.

Y nada menos que dos veces.

Pero si no perdía dos vidas, la imagen no conseguiría reunir la suficiente energía como para...

—¡Toño!

Giró la cabeza.

¿Cómo sabía el Gran Vampiro su nombre?

No tuvo tiempo de pensar. El monstruo estaba allí, casi encima de él. Lo tenía.

—¡Toño!

Aquella voz...

No era la del Gran Vampiro. Era la de...

—¡Te tengo! —dijo su enemigo atrapándolo.

—¡Te tengo! —dijo su madre arrancándole el casco de la cabeza.

El Gran Vampiro desapareció. En su lugar apareció su madre, tan grande como el monstruo y posiblemente más enojada. Sus ojos no echaban rayos, pero sí chispas. Y sintió que sus manos lo tenían bien asido.

—¡Maldito casco de realidad virtual! —ella le gritó—. ¡Llevo una hora llamándote! ¿Es que no sabes hacer otra cosa que pasarte la vida metido ahí dentro? ¡Baja a cenar inmediatamente!

Ya no era un héroe, volvía a ser un niño. Un niño real en el mundo real, y con una madre real.

Ella lo sacó de la habitación a empujones, de manera muy poco digna.

3

La escena en la mesa no era nada agradable. Todos lo miraban fijamente, con fastidio. Su padre, con el ceño fruncido y cara de preocupación. Su madre, con el disgusto reflejado en el rostro y el ánimo lleno de aristas contra las cuales nada era posible. También su hermana de 18 años, universitaria y seria, y su hermano de 20, que ya era encargado del taller en el que había entrado a trabajar apenas tres años antes.

Todos contra él.

—Hijo, esas cosas van a acabar por ofuscarte la mente —dijo su padre.

—Ojalá sólo fuera eso... —protestó su madre—. ¡Es como una droga!

—Peor que una droga —agregó su hermana.

—No es más que un juego —se defendió él.

—¿Un juego? El día que puse a jugarlo... ¡por Dios!, casi no pude dormir de tan real que parecía —se estremeció su hermano.

—Bueno, es que tú eres todo un pusilánime —lo provocó Toño.

—¿Un qué? —Roberto miró indignado a los demás—. ¿Cómo me llamaste?

—Tranquilo, no es un insulto —Sara calmó a Roberto, que por algo era la más estudiosa y lista de la casa.

Roberto no quedó tranquilo.

—Deberían prohibir esas cosas o venderlas sólo a mayores de edad —insistió—. Desde que se pusieron de moda, todo el mundo va por la calle con su casco bajo el brazo, ¡o lo lleva puesto! ¡Son un verdadero peligro! El otro día abrí la puerta del baño del taller y me encontré a un cliente sentado en el excusado con su casco en la cabeza, ¡jugando!

—¿Es que ustedes no jugaban a nada de niños? —Toño preguntó, herido en su amor propio por aquel ataque familiar.

—Damas chinas —dijo su madre—. Yo jugaba damas chinas. Y a tu padre le gustaba el ajedrez. ¿Verdad que sí, Pedro?

—Así es, Martha.

—¿Lo ves?

—Pero si Roberto y Sara tenían videojuegos —Toño insistió.

—¡No compares! —exclamó su hermano mayor—. Eso era de lo más inocente.

—Yo nunca me obsesioné con una de esas cosas —puntualizó Sara—. Tú, en cambio, te pasas el día metido en eso.

—¡Se acabó! ¿Me entiendes, Toño? ¡Se a-ca-bó! —silabeó su madre para que hubiera constancia de sus palabras—. Ese casco del demonio queda confiscado hasta nueva orden.

—¡Mamá!

—¡Qué mamá ni qué nada! Díselo, Pedro.

—Ya has oído a tu madre, Toño.

—¡Pero... no es justo!

Roberto y Sara parecían serios, pero captó una fugaz sonrisa en sus rostros. Sus propios hermanos, que supuestamente tenían que protegerlo y defenderlo y...

¿Tenía la culpa de ser el más pequeño?

¡Todos eran unos abusivos!

—¿Hasta cuándo vas a quitármelo? —quiso saber Toño.

—Ya oíste: hasta nueva orden.

—¿Y cuándo será eso? —insistió.

—Toño, come y calla —ordenó su padre.

—Tus exámenes serán en menos de un mes y vas a tener que ponerte a estudiar —su mamá puso el dedo en la llaga.

¡Un mes!

No podía creerlo. ¡Un mes! Eso no era "hasta nueva orden". Era una eternidad. Y justo ahora cuando ya dominaba todas las facetas del juego, lo de morir y dejarse matar para poder ganar, los trucos y las tácticas para hacer las cosas aún más emocionantes.

¡En un mes perdería los reflejos!

¡Adiós a su experiencia!

—¿Y si...? —trató de decir.

Esfuerzo inútil.

—Toño.

—Sí, papá.

Comió y calló.

Pero con el ánimo por los suelos, la moral derrotada y la sensación de abatimiento más fuerte que jamás hubiera sentido en la vida.

Aquello era peor que enfrentarse sin armas al Gran Vampiro; en su mundo, a oscuras, y ya sólo con una vida.

4

Salió de su casa furioso y triste a la vez, y no se fijó en el sol, en el atisbo del verano asomando por el final de la primavera ni en nada de nada. Sentía de todo, pero ni rastro de alegría o felicidad.

Para él todo era negro y horrible.

Cuando se reunió con Alex en la esquina, su amigo pudo captar la magnitud de su disgusto.

—¿Qué te pasa? —se alarmó.

—¿Tú qué crees?

—No sé.

—Me quitaron el "Meteor".

—¿Qué? ¿Quién?

—Mis padres. Dicen que voy a terminar obsesionado, que me paso el día conectado y que...

—¡No!

—Sí.

Alex se solidarizó con Toño de inmediato, y le pasó un brazo por encima de los hombros. No lo hacía desde que a su amigo se le había muerto su tortuga, Casandra.

—Vaya, ahora que ya lo tenías dominado —suspiró Alex.

—Era más que eso. Iba a batir mi propio récord. Justo cuando me lo quitaron, te juro que tenía a esa bestia en mi poder.

—Bueno, puedes venir a casa y usar el mío.

—Ya lo sé —aceptó Toño—, pero no es lo mismo. En el medidor del tuyo quedará mi puntuación, y es tu casco de realidad virtual, no el mío.

—No importa —Alex se encogió de hombros.

Lo compartían todo, para algo eran los mejores amigos del mundo. Pero hasta Alex reconocía que Toño tenía una habilidad especial y que parecía haber nacido para vivir en la realidad virtual, porque su rapidez, su inteligencia, sus reflejos y sus dotes lo hacían único y especial.

Quitarle el casco a Toño era como dejarlo sin beber ni comer.

—¿Vamos a ver la nueva feria? —propuso Alex para animarlo.

—¿Ya la instalaron?

—Sí, anoche.

—Sólo falta que lleguemos tarde a la escuela.

—Es temprano —Alex vio la hora—. Todavía nos quedan 10 minutos.

Solían verse un poco antes para platicar tranquilamente mientras iban a la escuela. Y pasar por el descampado donde se instalaba la feria no iba a desviarlos más que un poco del camino. Durante la noche el lugar estaría a reventar, mientras que a aquella hora, con los puestos aún acabándose de montar y sin público, las cosas serían diferentes. Valía la pena darse una vuelta.

—De acuerdo, vamos —consintió Toño.

Echaron a correr y no se detuvieron hasta llegar a las afueras del descampado de los marcianos, el cual debía su nombre a que una vez, muchos años antes, cuando el pueblo era aún más pequeño y no llegaba hasta allí, el granjero Porfirio juró haber visto cómo una nave extraterrestre aterrizaba y luego volvía a despegar. Como sólo él la había visto y nadie le había creído, el pobre hombre terminó en un manicomio.

Desde luego, nadie pudo explicar la desaparición de todos los animales de su granja.

De día, la feria parecía un lugar triste, dormido a pesar de toda la actividad y el movimiento. Las luces apagadas, los juegos y atracciones quietos, las casetas cerradas o abiertas, pero sin gente agolpada en ellas, los camiones silenciosos, las personas de la feria dando los últimos toques para la gran inauguración de la noche.

Toño recordó algo.

—¿Qué tal andas de dinero? ¿Cuánto traes? —le preguntó a su amigo.

—Mal —dijo Alex bajando la cabeza—. Para subir a un par de juegos y nada más.

—Pues entonces estamos igual —lamentó él—. Y después de lo de anoche...

Su ánimo volvió a enfriarse.

¿De qué servía ir a una feria si no tenía dinero para gastar en ella?

—¿Oye, y cuándo van a regresar tus papás? —quiso saber Toño.

—Creo que mañana.

—Qué suerte tienes. A mí no me dejarían solo ni un día, y tú en cambio...

—No podían llevarme —se resignó Alex—. Y además, sólo se fueron dos días. Me dejaron el refrigerador lleno.

—¿Y dinero no?

—Si necesito algo debo pedírselo a la señora Peralta, mi vecina, y justificarlo.

—Entiendo.

No tenían salida.

Aun así, siguieron observando con curiosidad la feria, sus puestos y las posibilidades que ofrecían, pero sin detenerse, camino a la escuela.

Dejaron atrás la última caseta y cuando iban a correr para recuperar el tiempo perdido; vieron algo que llamó su atención.

Un puesto perdido, apartado del resto, medio oculto entre los árboles del páramo. Un puesto singular, redondo, de estructura metálica y con un rótulo de color rojo que causaba expectación:

CÁPSULA DE LA GUERRA
GALÁCTICA VIRTUAL

—¡Qué increíble! —exclamó Alex.

—¡Ahí dentro sí que debe de ponerse fuerte! —suspiró Toño.

Iban a acercarse, pero Alex vio la hora. Tenían el tiempo justo, demasiado justo.

—¿Volvemos a la cápsula cuando salgamos de la escuela? —le propuso a Toño—. Supongo que nos alcanza para una partida.

Toño no se hubiera movido de allí.

Pero Alex tenía razón.

—De acuerdo, ¡vámonos! —accedió.

Entonces se fueron corriendo hacia el colegio a toda velocidad.

Y en cuanto se perdieron en la distancia, el puesto empezó a desvanecerse.

Hasta desaparecer.

5

El mismo camino que los había llevado del descampado de los marcianos, donde se ubicaba la
feria, hasta el colegio, los llevó de regreso al acabar las clases. Apenas cinco minutos después de
la salida, estaban de vuelta.

Entonces encontraron la primera sorpresa.

La Cápsula de la Guerra Galáctica Virtual ya no
se encontraba allí.

Había desaparecido.

—¡Oh, no! —protestó Toño.

—Pero si la feria llegó anoche —vaciló Alex.

Se acercaron a un hombre que llevaba un par de
tablas de madera bajo el brazo, con cara de pocos
amigos detrás de su tupido bigote.

—Disculpe, señor, ¿usted sabe qué sucedió con el puesto que había ahí esta mañana?

El hombre miró el lugar señalado por Toño. Su cara de pocos amigos se acentuó.

—¿Ahí? —rezongó—. ¿Y quién va a instalar un puesto ahí, tan lejos? ¡Vamos, no me hagan perder el tiempo, enanos!

Se marchó dejándolos igual o más desconcertados que un segundo antes.

—Tiene razón —dijo Alex—. De seguro lo trasladaron más cerca.

Se internaron en la feria para buscarlo, pero sin éxito. Pronto se dieron cuenta de que la Cápsula de la Guerra Galáctica Virtual no se encontraba allí. Ni en ninguna parte de la feria.

—¿Se la habrán llevado? —se extrañó Toño.

—A lo mejor se averió —sugirió Alex.

—¡Pues qué bien!

Volvió a sentirse abatido. El resto de los puestos no estaba mal, pero eran los de siempre: ruedas de la fortuna, caballitos, casetas de tiro al blanco, tiendas que presentaban pequeños espectáculos... Nada se comparaba con lo que prometía aquella fascinante estructura metálica.

—¿Qué hacemos? —resopló Alex.

—Nada. Vámonos —dijo Toño.

Hicieron un último intento. Preguntaron a una mujer con el cuerpo lleno de tatuajes, apoyada en una caseta de tiros con aro, si sabía dónde estaba.

—¿Realidad virtual? —puso cara de perpleji-
dad—. ¿Y eso qué es? Por aquí no hay nada como
eso, chicos.

No estaban locos, ellos la habían visto, pero
desde luego debían de ser los únicos. Con la mente confusa salieron de la feria dispuestos a regresar a sus casas.

Y fue entonces cuando...

—¡Alex, mira!

La cápsula.

Allí estaba, en el otro extremo de la feria, a unos
50 metros de nuevo apartada, de nuevo medio
oculta entre los árboles, pero tan emocionante y
reclamando su atención como la primera vez.

No se preguntaron qué hacía allí, por qué la
habían cambiado de lugar ni por qué nadie de
la feria sabía de su existencia. A lo mejor se trataba
de un puesto alternativo que funcionaba por su
cuenta y estaba allí aprovechando la presencia de
los feriantes.

¡Qué más daba!

Se dirijieron a la puerta. Cuando estaban a menos de cinco metros, las luces del gran rótulo se
iluminaron titilando con fuerza. El efecto los atrapó con toda su carga de magia.

—¡Mira!

—¡Genial!

No había nadie a cargo del puesto, sólo una
máquina con las instrucciones junto a la puerta de

entrada al recinto. El dinero debía introducirse en una ranura y la puerta se abría de forma automática. Hasta las instrucciones eran espectaculares, y estaban escritas con grandes y espeluznantes letras negras y rojas.

"Cuidado, extraño, estás a punto de entrar en el Reino de Tomor, y si lo haces... ¡puede que nunca más vuelvas a salir de él!".

—¿Te parece conocida? —preguntó Alex.

—No. Debe de ser nueva. En ninguna de las revistas que tengo se habla de algo así.

Siguieron leyendo.

"Tal vez mueras. Mejor para ti. Tal vez quedes prisionero. Peor para ti. La eternidad en la galaxia es muy larga. Pero no busques ayuda. Nadie te hará caso. Nadie te creerá. De ti, y sólo de ti, depende la victoria. No hay normas. No hay reglas. Todo vale. Tomor es la ley. Tomor es tu Señor. Tomor es la Suprema Luz de las Sombras. Si cruzas esta puerta estarás solo. ¿Te atreves?".

Alex tragó saliva.

—Parece... interesante, ¿no?

—¿Crees que sólo es interesante? —Toño estaba embelesado—. Esto ha de ser... ¡genial! Vamos, ¿cuánto dinero traes?

Esperó con el corazón en la mano. Tal vez no tuviera suficiente.

Alex sacó dos monedas del pantalón.

El importe exacto.

—¡Bien! —Toño lanzó su puño al aire.

Se las arrebató de la mano a Alex y ya no esperó ni un segundo más. Las introdujo por la ranura de la máquina.

La puerta de acceso a la cápsula se abrió.

Y ellos pasaron al interior.

Bueno, Toño empujó a Alex hacia dentro.

Se encontraron con otra puerta. La primera se cerró a sus espaldas emitiendo un seco chasquido. Unas letras fosforescentes rompían de forma espectral la negra oscuridad que los envolvía.

"La partida no tiene fin. Sólo termina con la victoria... o la derrota. Si cruzas esta puerta disponte a luchar".

—Toño... —musitó Alex.

No le hizo caso.

Y abrió la puerta.

6

Desde fuera, la cápsula parecía pequeña, pero una vez dentro... era grande, inmensa.

—Mira qué efecto visual tan bueno —dijo Toño con admiración.

Las paredes de la cápsula estaban desnudas, apenas iluminadas; tenían un ligero tono azulado, oscuro y plomizo, y por ello la sensación espectral se mantenía. Su forma redondeada le daba a la cápsula la apariencia de un platillo volador. Por ninguna parte podían verse ángulos o tramos rectos. En el centro de la amplia estancia los chicos encontraron dos cabinas del mismo tamaño e igualmente redondas.

Su destino.

—Nunca había visto nada igual —manifestó Toño boquiabierto—. Este juego en verdad es de última generación.

—Da un poco de... miedo —soltó Alex.

—¿Qué dices? Tiene un ambiente perfecto. Si las imágenes virtuales y el juego son iguales...

Alex contemplaba todo con cierta aprensión, pero ya no dijo nada. Y menos al ver la decisión y el entusiasmo de su amigo.

—Bueno, pues entonces empecemos —dijo Toño con impaciencia.

Llegó hasta la puerta de la primera cabina. Esperó a que Alex llegara a la suya. Sin embargo, no había manija para entrar. Se iluminó una pantalla rectangular.

—Identifíquese, por favor —sonó una voz.

Toño puso la palma de su mano en la pantalla. La puerta se abrió.

—¡Guau! —se animó aún más.

—Oye, ¿vamos a luchar juntos contra ese tal Tomor o uno contra el otro, o qué? —continuó vacilando Alex.

—Tú entra, qué más da.

Y entró en la cabina sin esperar más.

El interior estaba acolchonado por todas partes e iluminado con la misma luz tenue y azulada que la de la cápsula.

Al principio, no encontró nada con que jugar, disparar o introducirse en aquel mundo virtual.

Después sí.

En la parte superior había un casco enorme que cubría toda la cabeza y cuyos mandos manuales se hallaban unidos a él por dos largos cables.

Todo lo que él debía hacer era tomarlo, bajarlo y... ponérselo.

—¿Ya viste eso, Alex?

Silencio.

Claro, con las paredes acolchadas...

Respiró hondo. Seguramente el juego empezaría en cuanto introdujera la cabeza por el hueco del casco, y tenía que estar preparado. Sin duda lo atacarían de inmediato.

La incertidumbre de qué o cuántos enemigos serían, o su forma, lo emocionaba.

Su cabeza y el casco formaron finalmente un solo cuerpo.

Oscuridad.

Luego asió los mandos, introduciendo cada mano en el guante lleno de sensores.

En ese instante, todo se iluminó.

Fue... como Toño esperaba, la sensación más fuerte que jamás había sentido en la vida. Su casco de realidad virtual era un juguete de quinta comparado con aquello.

El Reino de Tomor era fantástico, con el infinito arriba y el infinito rodeándolo. Era una tierra seca, áspera y rocosa, aunque podía ver bosque, un océano y algunas montañas a lo lejos.

Su estado era de máxima alerta y expectación, pero no sucedió nada.

De pronto, Alex se materializó a su lado.

Acababa de entrar en el nuevo mundo.

Lo miró. Bueno, por su cara era Alex, pero nada más. El resto de su cuerpo era como el de un luchador galáctico, con un casco rojo y vestido con uniforme espectacular. El nuevo Alex era grande y musculoso, impactante, y estaba cargado de armas increíbles.

—¡Toño, pareces todo un superhéroe! —le dijo su amigo.

¡Eran dos superhéroes! ¡Podían sentir el poder! Toño se miró a sí mismo. Su uniforme era verde, y él debía de medir como dos metros. Sus brazos eran como los de los actores de las películas de acción. ¡Y todo parecía tan real!

Tan real como la bandada de feroces pájaros metálicos que, de pronto, salió del cielo y se precipitó sobre ellos con los picos abiertos. Unos picos llenos de dientes acerados, casi tanto como las garras de sus patas.

—¡Cuidado! —gritó Alex.

—¡Vamos por ellos! —aulló Toño.

1

Tuvo el tiempo justo de tomar una de sus armas, una pistola en apariencia normal que colgaba de su cinturón. Apenas la había levantado y rozado el gatillo, cuando una ráfaga de luces pardas surgió del cañón, trazando un arco iris mortal entre él y los pájaros.

El cielo se llenó de gritos dantescos, horribles.

—Acábalos, Alex! ¡Duro con ellos!

Aunque los pájaros eran cientos, miles, una auténtica oleada, entre los dos lograron causar en sus filas considerables bajas. Caían como moscas, y no desaparecían, como en su juego de realidad virtual. Permanecían tendidos, aunque allí vio, asombrado, cómo a su vez eran devorados por unos extraños seres que emergían del suelo. Eran gusanos muy veloces, del mismo color que la tierra. En un dos por tres sacaban la cabeza, abrían su enorme boca, engullían a los pájaros de acero y volvían a desaparecer.

—¡Toño!

Un descuido. Apenas se distrajo una fracción de segundo mirando a los gusanos, pero eso bastó para que uno de los pájaros se precipitara sobre él. Sintió la dentellada en el brazo izquierdo, y algo aún más asombroso.

Sintió dolor.

Un dolor agudo, auténtico, nada ficticio.

Pero casi enseguida se olvidó de ello, pese a la sorpresa, porque su instinto le aconsejó prestar atención inmediata al ataque. Continuó disparando sin cesar, mientras descubría las diferentes propiedades de su equipo.

Por ejemplo, podía correr muy rápido.

—¡Alex, sígueme!

Con gran rapidez se dirigió hacia una elevación del terreno para protegerse un poco. Con la otra mano tomó otra arma, semejante a un fusil, pero ésta era transparente, con un depósito adosado. Se veía inofensiva.

Cuando accionó el disparador, un chorro de fuego surgió del cañón.

Fue toda una sorpresa. La llamarada abrasó a los pájaros de acero, fundiéndolos como si fueran de mantequilla. El cielo sobre sus cabezas se tornó violentamente rojizo.

—¡Estuvo cerca! —exclamó asustado.

El peligro había pasado. Sin embargo, continuaron corriendo hacia la elevación montañosa porque Toño quería subir a la cúspide para ver qué había un poco más allá.

—Debemos averiguar qué armas tenemos, y qué podemos hacer con ellas —aconsejó Alex.

—De acuerdo.

Alcanzaron la pequeña ladera y subieron por ella sin esfuerzo. De hecho, aquellos uniformes los hacían sentir casi como si pudieran volar. Tal vez fuera uno más de sus poderes. Sí, Alex tenía razón. Era necesario medir la potencia de sus armas y los muchos buenos trucos que sin duda incluían.

—¡Toño, esto es...!

Alucinante. Era la única palabra imaginable.

Y tan real.

El Reino de Tomor era fantasilandia a todo color y con sensaciones como...

Toño se quitó el casco. El mundo virtual desapareció y volvió a encontrarse en la cabina. Le dolía el brazo picoteado por el pájaro de acero, y quería comprobar si...

No podía creerlo.

Tenía una herida.

Una cortada por la que manaba sangre, justo donde el maldito pajarraco lo había mordido.

Era imposible, claro. Seguramente se lo había hecho él mismo y por efecto del juego le pareció...

Pero ¿cómo? Allí todo estaba acolchonado y tenía las manos introducidas en los guantes que colgaban del casco.

—Partida interrumpida —dijo una voz—. Jugador sin casco. Partida interrumpida...

Volvió a ponérselo, por simple instinto.

Lo hizo justo a tiempo.

Una manada de elefantes, igualmente metálicos, los estaba embistiendo en ese instante.

—¿Dónde te habías metido? —gritó Alex.

Dispararon al unísono, a dos manos. Aunque estaba muy cerca la manada, ésta fue aniquilada. Sólo quedaron colmillos esparcidos por la ladera.

—¿Y la puntuación? —dijo Alex—. ¿Cómo sabremos cuándo termina el juego?

Tenían muchas preguntas y pocas respuestas.

Y, desde luego, lo que menos tenían era tiempo.

Ni siquiera de pensar.

Se oyó un estruendo y el suelo tembló bajo sus pies, como si un terremoto estuviera a punto de eliminarlos. Entonces, a lo lejos, surgió algo.

—¡Toño! —aulló Alex—. ¡Mira!

Era Tomor, no había que preguntarlo.

8

Era lo más impresionante que habían visto, y no sólo por el tamaño, sino también por la imagen. La dantesca figura de aquel extraño ser, mitad robot, mitad alienígena, mitad... ¿qué?

¿Cómo describirlo?

Debía de medir cinco o seis metros, tenía la cabeza en forma de águila, con un cuerno sobresaliendo de la frente, y las piernas como patas de elefante, pero con garras en lugar de pezuñas. Sus cuatro brazos eran como los de un gorila. Llevaba una sólida armadura, o lo que fuera su uniforme de metal reluciente, con un signo en el pecho, algo semejante a un sol atravesado por un rayo. Lo más terrible eran sus ojos, sanguinarios y crueles.

También el poder que emanaba de esta criatura. Y lo más sorprendente de todo era que ni siquiera empuñaba un arma.

—¡Ríndanse! —rugió.

¿Rendirse? ¿Qué clase de juego era aquél?

Si se rendían no pasaría nada, no tenía el menor sentido hacerlo.

—¡Ven por nosotros, no tenemos miedo! —lo desafió Toño.

Tomor se echó a reír.

Y con ello, el suelo volvió a temblar.

—¡Toño, espera! Esto se ve... ¡demasiado real! —gimió Alex.

Toño pensó en su herida.

"No hay normas. No hay reglas. Todo vale. Tomor es la ley. Tomor es tu Señor. Tomor es la Suprema Luz de las Sombras. Si cruzas esta puerta, estarás solo. ¿Te atreves?".

—¡Vamos a atacar, Alex! ¡Ya verá ese pedazo de imagen virtual de lo que somos capaces!

Sólo estaba alardeando. Antes de que pudiera levantar una de sus manos armadas, de todas partes empezaron a salir hormigas de acero como los pájaros, y tan violentas como éstos. Hormigas como ratas. ¡Allí todos los bichos eran grandes y tenían dientes!

—¡Captúrenlos, mis fieles! —ordenó Tomor—. ¡Pero no les hagan daño, los quiero vivos! ¡Necesito su juvenil energía humana!

—¡Cómo no! —lo provocó Toño.

Intentó quemarlas, pero a su lanzallamas no le quedaba una sola carga.

—¡Hazlo tú, Alex!

Demasiado tarde. Una de las hormigas se había apoderado de su fusil transparente, rompiendo el depósito, y trepaba por su pierna mientras Alex se debatía.

Toño acudió en su ayuda.

Disparó sin cesar, procurando no darle a su amigo mientras buscaba en su equipo algo que pudiera servirle. Lo encontró. En una etiqueta, bajo un pequeño botón, leyó *Antdead*. "Hormiga muerta".

Lo presionó.

Enseguida, su traje comenzó a destilar una especie de aceite que evitó que las hormigas treparan por él.

Se aproximó a Alex, para él mismo accionar su dispositivo.

Pero si creían que con eso habían terminado, se equivocaban.

De todas partes empezaron a llover...

—¡Arañas!

Toño tomó otra de sus armas. Sin esperar a ver para qué servía, apuntó y disparó. No salió ningún láser ni ninguna lengua de fuego abrasador por ella. Al parecer, no salió nada.

Pero una fuerte onda energética comenzó a paralizar a las arañas y a reventarlas en el aire.

—¡Unámonos! —lo animó a Alex.

Ambos juntaron sus espaldas y dispararon al mismo tiempo, barriendo el cielo para aniquilar a todas las arañas de hierro, y el suelo para destruir a las hormigas.

Toño hizo algo más.

Apuntó a Tomor y le lanzó una primera andanada de disparos.

El ser dantesco se rio.

—¡No conoces mi secreto! —alardeó—. Insignificante microbio...

Ya no había arañas y apenas quedaban algunas hormigas. Las ondas energéticas, sin embargo, parecían estar dañando la estructura del suelo. Era como si éste perdiera...

—¡Alex, ya no dispares! ¡Espera!

Demasiado tarde.

El suelo se deshizo bajo sus pies y Toño cayó por el agujero recién formado.

¡Directo a un infierno en llamas que crepitaba a muchos metros bajo él!

9

Toño alargó su mano.

—¡¡¡Alex!!! —gritó.

Alex fue un prodigio de reflejos. Dejó caer su arma y extendió el brazo. Las manos de ambos se encontraron en el aire y se unieron con fuerza.

—¡Sujétate! —le pidió su amigo.

Quedaban seis hormigas. Al ver a Alex caído y desarmado junto al agujero, se le abalanzaron. Si soltaba a Toño, éste caería. Si no lo hacía, las hormigas lo tendrían al alcance de sus dientes de acero sin necesidad de trepar por su resbaloso equipo. Eso significaba la muerte de ambos.

—¡Déjame! —le pidió Toño— ¡Ahora defiéndete de esos monstruos!

Alex no obedeció. Tiró de él con toda su fuerza. El calor que emanaba del agujero era sofocante.

Toño tenía una mano libre.

Buscó una nueva arma.

Encontró una especie de manopla, tiró de ella y la dirigió a las hormigas, que estaban a punto de caer sobre su amigo. Tampoco salió del artefacto disparo alguno, pero las hormigas se quedaron súbitamente paralizadas. Mejor dicho, petrificadas.

Porque unos instantes después, empezaron a desmoronarse en pedacitos.

—¡Ahora! —dijo Toño.

Después de ayudar a Alex a salir del apuro y una vez fuera del agujero, los dos retrocedieron hasta hallarse en zona segura, con el suelo firme bajo ellos. Después, Toño buscó a Tomor.

Pero el monstruo ya no estaba allí.

Se miraron angustiados.

—Esto es demasiado real —masculló Alex.

Demasiado real.

Sentían el calor, las heridas, el dolor, el miedo.

Sobre todo el miedo.

—Salgamos de aquí —sugirió Alex.

"La partida no tiene fin. Termina con la victoria... o la derrota. Si cruzas esta puerta disponte a luchar".

Alex hizo ademán de quitarse el casco. No pudo. El batir de unas alas volvió a sorprenderlos.

Pensaron que eran los pájaros metálicos de nuevo, pero se equivocaron.

Esta vez eran mariposas.

No tenían garras afiladas ni dientes, pero eran de hierro.

Y estaban locas.

No era una simple apreciación. Estaban locas porque reían y no paraban de revolotear a su alrededor, y reír, y revolotear, y reír, y revolotear, aturdiéndolos, mareándolos, descargando continuos golpes que ellos sólo lograban detener protegiéndose con los brazos mientras trataban de ahuyentarlas. Era un pequeño bombardeo.

Toño aún tenía la manopla paralizadora y desintegradora. La utilizó.

Alex no tenía nada.

Las primeras mariposas se petrificaron en el aire, cayeron al suelo y se rompieron. Al menos era un respiro. Toño buscó a Alex para echarle una mano. Sin notarlo, se habían alejado el uno del otro casi media docena de metros.

—¡Alex!

Su amigo parecía aturdido, mareado. En lugar de moverse hacia él, se estaba alejando.

Echó a correr, a ciegas.

—¡Alex! ¡Cuidado!, ¡Ven aquí!

Toño utilizó la manopla. Más y más mariposas locas fueron barridas y petrificadas antes de caer al suelo, desmenuzadas. Quedaban todavía muchas, pero en cuanto se deshiciera de ellas podría acudir en ayuda de su amigo.

Se preparó para terminar el trabajo.

Y lo hizo.

Sólo que demasiado tarde.

En el momento de disparar contra las últimas mariposas, cuyas alas grises batían el aire con estruendo, vio que algo se movía cerca de Alex.

Algo que esperaba agazapado entre un grupo de árboles.

Algo que al levantarse se convirtió en...

¡Tomor!

—¡Alex!

Se oyó la carcajada del monstruo.

Toño apuntó hacia él, pero ahora tenía a Alex en medio. No se atrevió a disparar.

Las mariposas que estaban confundiendo a Alex se apartaron.

Y Tomor lo atrapó con sus cuatro brazos.

Desde la distancia, los ojos de su amigo y los suyos se encontraron por última vez.

—¡Toño! —gritó Alex.

Después, Tomor se lo llevó y desapareció con sorprendente agilidad.

—¡¡¡NOOO!!! —Toño corrió tras ellos.

10

Toño llegó justo al mismo lugar donde Tomor había capturado a Alex, pero ya no vio nada. Era como si todo hubiera sido un sueño. Ni rastro de las mariposas, ni de los seres peligrosos que asolaban ese lugar demencial.

No había rastro de Tomor, ni de Alex.

—¡Alex! —gritó.

Silencio.

Un silencio extraño, sobrecogedor.

Dominando aquella calma inusitada.

En los juegos no había descanso, los peligros se sucedían sin interrupción.

Claro que aquél no era un juego trivial.

Alex tenía razón, ni siquiera parecía un juego.

—¡Alex! —volvió a gritar.

Nada.

Miró a su alrededor, alerta, y por si acaso tomó otra nueva arma, tan desconocida como las demás. La llevaba sujeta a la espalda. Apareciera lo que apareciera, estaría bien preparado.

Esperó.

Pero los segundos transcurrieron uno a uno sin que nada turbara aquel denso silencio.

—¡Vamos, Tomor! ¿Qué esperas?

Era lo que el monstruo quería.

—¿Qué esperas tú, pequeño?

—¿Dónde estás?

—En mi castillo.

—¿Y dónde está tu castillo?

La voz del monstruo se escuchaba en todas partes, lo envolvía. Era como un manto que cubriera todo por completo.

—Búscalo —dijo el monstruo.

—¿Buscarlo? ¿Así es como juegas?

—Yo no estoy jugando, pequeño.

—¡No eres más que una ilusión absurda!

¿Qué estaba haciendo? ¿Discutir con una imagen de realidad virtual?

¡De locos!

—Ya tengo a tu amigo. Sé que vendrás por él —anunció la voz de Tomor.

—¡Vete al diablo! ¡Si no luchas me voy!

—Volverás.

Toño sentía una zozobrante angustia. Aquello era inaudito. Lo mejor que había visto, sí, pero...

¿Por qué parecía tomárselo en serio?

—¡Toño!

—¿Alex?

—¡Toño, por favor, es de verdad! ¡Toño!

La voz de Alex sonaba aterrorizada, afligida, como Toño jamás la había escuchado.

Fue superior a sus fuerzas.

Y se quitó el casco.

Un grito de Alex que no pudo entender, pero que era como si intentara detener su gesto, se mezcló con el movimiento de sus manos. De inmediato el extraordinario Reino de Tomor desapareció y él volvió a encontrarse en la cabina.

—¡Dios! —jadeó impresionado.

—Partida interrumpida. Partida interrumpida —dijo la voz invisible del sistema operativo de la cápsula—. Jugador sin casco. Partida interrumpida. Partida...

—¡Oh, cállate ya! —rezongó Toño.

Quería salir de la cabina. La puerta tampoco tenía manija por dentro. Esperó.

La pantalla identificadora tardó en iluminarse.

Puso la mano y la puerta se abrió.

En cuanto salió, vio que todo estaba en orden y en calma. Eso lo tranquilizó. Incluso pensó que no era más que una tontería. Alex se reiría de él cuando lo viera aparecer.

Tal vez Alex estaría peleando con Tomor, llamándolo, buscándolo.

Estuvo a punto de regresar a su cabina.

No quería hacer el ridículo.

Pero se quedó donde estaba, inmóvil.

Miró la cabina de Alex.

¿Por qué tenía aquel increíble presentimiento?

Recordó:

"Tal vez mueras. Mejor para ti. Tal vez quedes prisionero. Peor para ti. La eternidad en la galaxia es muy larga".

—Tal vez quedes prisionero... —Toño repitió en voz alta.

Ya no esperó más. Estaba asustado. En dos zancadas llegó a la puerta de la otra cabina. La golpeó con fuerza porque la pantalla tardó en iluminarse de nuevo. Cuando lo hizo, puso su mano derecha sobre ella.

La puerta se abrió.

Pero no había nadie dentro.

12

Era sencillamente... imposible.

—¿Alex?

Toño se dio cuenta de que el casco colgaba del techo, y los guantes, del casco.

Tuvo la tentación de ponérselo, pero no lo hizo. ¿Qué pasaría si no tenía una nueva oportunidad de quitárselo?

—¡Alex!

No había error posible. Su amigo no estaba allí dentro. No había ningún lugar para esconderse.

Eso podía significar que...

¡Había salido!

¡Por supuesto! ¡De seguro Alex no había podido resistir tanta emoción virtual, tanta realidad, y presa del pánico prefirió quitarse el casco y salir! ¡Alex era así, demasiado impresionable! ¡Por supuesto que estaría esperándolo afuera!

¡Qué tonto podía llegar a ser!

Bueno, los dos, porque él mismo...

Reconocía que él también había llegado a experimentar miedo.

Dio media vuelta y atravesó el interior de la cápsula hacia la salida.

En su cabina, al quitarse el casco, Toño escuchó la voz que decía "partida interrumpida". Sin embargo, en la de Alex no sonaba ninguna voz.

Aceleró sus pasos y alcanzó la primera puerta a toda velocidad.

La puerta se abrió automáticamente.

Allí en la oscuridad, a la espera de que se abriera la segunda puerta, la que daba al exterior y a la máquina de entrada, creyó notar algo, sentir algo, como si unos ojos lo espiaran, como si una mano invisible le recorriera la mente, como si...

—Volverás...

Se volvió. ¿Había sido una alucinación o lo escuchó de verdad?

La puerta hizo un chasquido al abrirse, y Toño logró salir de la cápsula.

—¡Alex!

Su amigo no estaba allí.

No podía haber ido a la feria. No sin esperarlo.

Eso significaba...

Giró la cabeza, miró la cápsula y el letrero impreso en la entrada.

"Cuidado, extraño, estás a punto de entrar en el Reino de Tomor, y si lo haces... ¡puede que nunca más vuelvas a salir de él!".

"Nunca más".

No, no era un juego.

Fuera como fuera, aquello era real.

Fantásticamente real.

Y ahora Alex era prisionero de... Tomor.

¡En verdad estaba atrapado en un mundo de realidad virtual!

13

A unos 50 metros, la feria parecía más anima-
da, con los curiosos de mediodía, principalmente
los chicos de las escuelas que se congregaban en
torno a los puestos.

En todos excepto en la Cápsula de la Guerra
Galáctica Virtual.

¿Es que no la veían?

Desesperado, echó a correr en busca de ayuda.
Cuando llegó a la feria tuvo la tentación de llamar a cualquiera de los feriantes, pero cambió de
opinión. Seguramente ellos no harían nada o no lo
tomarían en serio, y si había pasado algo protege-
rían al dueño de la cápsula. Formaban un círculo
cerrado. Tenía que dar con alguien como...

¡Mireles!

El policía era todo un personaje, un tanto estirado, con su uniforme, diciendo que "él era la ley", aunque muy pocas veces tenía oportunidad de mostrar lo bueno que podía llegar a ser, porque por allí no pasaba nada.

Fue corriendo hacia él. Estaba quieto, solemne, parado delante del puesto en el que se anunciaba a la mujer tatuada: "¡Ni un sólo centímetro de su cuerpo está libre de tatuajes!", podía leerse en el letrero de la entrada.

Mireles daba la impresión de dudarlo.

Toño se le echó encima.

—¡Mireles! ¡Mireles! ¡Menos mal que estás aquí! ¡Ha desaparecido!, ¿entiendes? ¡Estábamos jugando allí, y ha desaparecido! ¡Tienes que hacer algo! ¡Mireles, por favor!

Pese a la avalancha de gritos y la ansiedad del niño, el policía no reaccionó.

—Vamos, Toño, tranquilo, por favor, ¿quieres calmarte? —le pidió.

—¡Allí, en la Cápsula de la Guerra Galáctica Virtual! —dijo Toño sin calmarse—. ¡Es Alex! ¡Se esfumó, Mireles!

—¿Quién se esfumó?

—¡Alex Navarro!

—¿Me estás tomando el pelo, niño? Mira que no estoy para jueguitos.

—¡Ven! —lo tomó de la mano—. ¡Ven, por favor!

No es que el policía quisiera ir, sino que se vio obligado a hacerlo. Toño tiraba de su mano con todas sus fuerzas. Mireles no tuvo más remedio que moverse, aunque mirando a todos lados, molesto por lo insólito de la situación. Nada menos que el representante de la ley llevado de la mano por un niño que parecía loco.

—Toño Gamboa, te juro que si esto se trata una broma... —lo amenazó.

—¡Oh, Mireles, creeme! ¡Ése no es un puesto común! ¡Parecía tan real que...! ¡Ni siquiera sé cómo vamos a sacar a Alex de ahí!

Salían ya del perímetro de la feria. En cuanto dieran la vuelta en el último puesto, verían la cápsula medio oculta entre los árboles. Los esfuerzos de Toño se redoblaron.

Dio el último paso.

—¡Mira, Mireles, allí! —señaló en dirección a... A nada.

Porque la cápsula ya no se encontraba donde se suponía que debía estar.

14

Después del regaño de Mireles, que lo amenazó con decirle a sus padres por "hacer perder el tiempo a la autoridad", Toño buscó la cápsula, pero no pudo hallarla. Además, era tardísimo. En casa le harían la escena habitual.

No sabía qué hacer.

¿Por qué no la encontraba? ¿Por qué?

Hasta que recordó algo más.

"Pero no busques ayuda. Nadie te hará caso. Nadie te creerá. De ti, y sólo de ti, depende lograr la victoria".

No era un juego.

Miró la herida de su brazo, la que le habían causado los pájaros de acero.

No se trataba de una herida virtual, sino de una herida de verdad.

Fuera lo que fuera aquel maldito y diabólico puesto, no era un juego. Todo estaba en las reglas, y eran muy claras.

Miró la feria con lágrimas en los ojos. Tenía que irse. Nadie le creería y se le había hecho muy tarde. Pero regresaría. No dejaría a su amigo allí, prisionero de Tomor... para siempre.

—Alex... —susurró muy afectado.

Luego dio media vuelta y corrió, probablemente como jamás había corrido en su vida. Sabía todo lo que estaba en juego. De seguro, sus padres ya se encontraban bastante molestos y le harían una terrible escena.

Y aún peor sería el día siguiente, cuando los Navarro regresaran y Alex no apareciera.

¿Qué podría decir?

Nadie le creería. Nadie. El letrero de la cápsula bien se lo había dicho.

Sólo de él dependía la victoria: rescatar a Alex o... caer también prisionero de Tomor.

Todo le parecía una locura, una locura extravagante. Hubiera creído que Alex le estaba tomando el pelo de no ser por la desaparición de la cápsula. Así que no era un sueño.

Llegó a su casa y al entrar en el comedor, encontró a todos comiendo. Sus peores previsiones se confirmaron cuando su aparición fue saludada con un silencio de los que podían cortarse con un cuchillo. Además de llegar con mucho retraso, estaba sudoroso, con el cabello alborotado y su aspecto era el de...

—Lo siento —dijo. Y con mayor vehemencia insistió—: ¡Lo siento! No fue mi culpa.

Los ocho ojos lo taladraron implacables.

—¿Apareció un platillo volador y te abdujo? —preguntó su hermana Sara con sorna.

—Lo han de haber castigado en el colegio, para variar —lo provocó su hermano Roberto.

Se calló la adecuada respuesta para ambos.

—Siéntate —ordenó su padre.

—Esta tarde no tienes escuela, ¿verdad? —se interesó su madre.

—No.

—Muy bien, porque no vas a salir de casa. Y mañana tampoco.

—¿Qué? —se puso pálido.

—Ya oíste. Ahora come y calla.

—Mamá, Alex...

—Si Alex quiere algo, que venga aquí. Tú no sales de casa. Y punto.

Quiso morirse. Aquello no podía estar pasando. Era una pesadilla. Una espantosa pesadilla.

Sólo de pensar en Alex, allí, en la cápsula, en poder de Tomor, lo hacía sentir enfermo.

¡Y sus padres lo castigaban sin salir!

¡No!

15

Se encerró en su habitación después de comer, tan asustado como furioso, y tan desconcertado como impotente. Por suerte, sus padres se acostaban temprano, así que siempre tendría la oportunidad de escaparse, aunque si lo descubrían...

Además, no tenía dinero para volver a entrar en la cápsula.

Volver a la feria sin dinero no serviría de nada.

Sus problemas se multiplicaban.

Salió de la habitación, dispuesto a ser un lobo con piel de cordero si era necesario, y fue a la planta baja. Su padre ya se había ido a trabajar, y su madre estaba en la parte posterior del jardincito tendiendo ropa. Su hermana iba a salir.

—Sara —la retuvo.

—¿Ahora qué quieres? —rezongó ella con fastidio—. ¿No ves que tengo prisa?

—¿Podrías darme un poco de dinero? Sólo...

—¿Estás loco? ¿Dinero? ¡Pero, bueno! ¡Hace falta tener muy poca vergüenza para venir a pedirme dinero!

Se fue dando un portazo.

Lo había intentado sabiendo de antemano que fracasaría. Eso no impidió que deseara que su hermana tropezara y se rompiera una pierna. Bueno, una pierna no, porque entonces se quedaría todo el día en casa y eso sería insoportable. Un brazo estaría mejor.

Sonó el teléfono.

Se precipitó sobre él. ¿Sería Alex?

—Hola, ¿está Sara?

Hubiera podido alcanzarla, salir a la puerta y llamarla. Era su último admirador y ella babeaba por él. Decidió no hacerlo. Una sonrisa maliciosa se dibujó en su rostro.

—No, no está, salió con un tal Carlos.

—¿Cómo? —masculló la voz.

—¿Quién eres?

—Habla Pablo Villanueva.

—¿Ah, sí, Cara de Palo?

—¡¿Qué?! —gritó el muchacho.

—Ah, perdona, creí que era tu apodo. Como Sara te llama así...

El otro colgó de golpe. Toño no estaba satisfecho porque no dejaba de pensar en Alex y en lo que estaría pasando, en que lo había abandonado, pero al menos sonrió por un segundo.

Todavía estaba al lado del aparato cuando éste volvió a sonar.

¿Cara de Palo?

—¿Sí?

—¿Toño, eres tú? Soy Mari.

¡La madre de Alex!

Se enderezó de golpe; estaba pálido y nervioso. ¿Habían regresado ya?

—S-s-sí..., señora Navarro.

—Estaba llamando a casa, y como nadie respondía pensé que Alex estaría contigo.

Su mente trabajó lo más rápido que pudo.

—Sí, está en el baño... Comió aquí, en mi casa, con nosotros y...

¿Y si le pedían que llamara al salir? ¿Dónde estaban los Navarro?

—Bueno, no importa. Te llamo desde un teléfono público, ¿sabes? Dile a Alex que regresamos mañana por la mañana, temprano, a eso de las nueve. ¿Se lo dirás, Toño?

—S-s-sí, por s-s-supuesto.

—Gracias, hijo. Ahora tengo que colgar. Adiós.

¡Mañana por la mañana!

¡Eso era simplemente espantoso, porque Alex no estaría allí!

16

Pasó la tarde llamando a amigos y compañeros, para pedirles el importe exacto de la entrada a la cápsula, pero ninguno tenía dinero, y el que lo tenía quería guardárselo para ir a la feria. Llegó a ofrecer un puñado de sus mejores cómics por ese mísero e irrisorio precio, pero ni así consiguió nada. El día siguiente era festivo, y la feria los esperaba si es que no podían ir esa noche.

Cada vez estaba más asustado y preocupado.

Por Alex, y porque nadie le creería cuando contara la verdad de su desaparición. La cápsula no estaría allí para darle la razón.

Fuera como fuera, Toño iría. Incluso derribaría la puerta a golpes si...

Sus padres lo llamaron para cenar y bajó de inmediato, lavado, peinado, con su mejor cara de niño bueno. Temió que Sara se hubiera encontrado ya con Cara de Palo, pero supo que no había sido así porque su hermana estaba normal, o sea, insoportable, aunque sin lanzar sapos y culebras por la boca a causa de su "comentario".

Estaba dispuesto a todo con tal de que le retiraran el castigo.

—¿Ya vieron la feria? —preguntó suavemente a mitad del primer plato.

—Sí, es como todas —repuso Sara.

—Yo voy esta noche con una amiga —dijo Roberto haciéndose el importante.

Un problema más si es que lograba escaparse.

—¿La conocemos, hijo? —se interesó su madre rápidamente.

—No, no creo. Es nueva.

—Mamá, si me quedo una semana castigado, ¿podría ir esta noche a la feria?

—No, Toño.

—Es la primera noche de feria. Todos mis amigos estarán allí.

—Lo hubieras pensado antes, este mediodía, por ejemplo.

—Papá...

—Tu madre tiene razón —repuso él.

Si no le iban a levantar el castigo menos aún le iban a dar dinero.

Ya no insistió. Acabó de cenar y subió a su habitación dispuesto a esperar a que todos se durmieran o a que Sara y Roberto salieran. Escapar no sería complicado para nada; sin embargo, el dichoso dinero…

Tal vez su madre tuviera alguna moneda en la bolsa. Nunca le había tomado dinero, pero se trataba de Alex, de salvarlo, de…

—Un momento, ¡un momento! —gritó de repente en voz alta.

Las instrucciones.

"La partida no tiene fin. Solamente termina con la victoria… o la derrota. Si cruzas esta puerta disponte a luchar".

—¡La partida no tiene fin! —exhaló.

¡Por supuesto! ¡No necesitaba dinero para volver a entrar! ¡La partida no había terminado!

Tomor lo esperaba. Los quería a los dos.

¿Por qué? ¿Para qué?

Se quedó sin aliento, sentado en la cama y con la espalda apoyada en la pared. No entender nada no le causaba más miedo del que ya tenía. La mayoría de los fenómenos inexplicables eran así, por más que la gente se empeñara en creer que nunca pasaba nada fuera de lo normal y que todo tenía una respuesta lógica.

En realidad, la mayoría de la gente era aburridamente pragmática.

Esperó.

Sus padres estaban viendo la televisión.

Más que nunca, aquella noche retrasaban su retiro a la cama.

Siguió esperando.

Cerró los ojos. Los abrió. Volvió a cerrarlos.

Nunca entendió por qué demonios se quedó profundamente dormido.

17

Despertó sobresaltado a causa de la pesadilla que tenía en ese momento. Una pesadilla en la cual Tomor lo tenía apresado entre dos de sus brazos, mientras sujetaba a Alex con los otros dos.

Toño intentaba dispararle entre los ojos.

—No, entre los ojos no. Ése era el truco para acabar con el Gran Vampiro.

Su propia voz lo hizo abrir los ojos.

Primero quedó en suspenso por esa razón: no sabía cómo acabar con Tomor. El monstruo se lo había dicho la primera vez que le disparó:

—¡No conoces mi secreto! Insignificante microbio humano...

Pero justo después saltó de la cama.

¡Eran las cinco de la mañana!

¡En menos de cuatro horas Alex tenía que estar de vuelta en su casa, lo mismo que él si no quería sufrir las consecuencias!

—¡Oh, no! —lamentó casi llorando.

¿Cómo había podido quedarse dormido cuando estaba en medio de la más espantosa crisis de su vida? ¡Era increíble!

No perdió ni un segundo. Colocó la almohada bajo la colcha para dar la impresión de que estaba durmiendo en caso de que alguien se asomara por la puerta, y luego salió directamente por la ventana. Lo tenía prohibido pero eso ahora tenía poca importancia. En menos de lo que costaba decirlo estuvo abajo.

Luego echó a correr.

Se ocultó cuanto pudo, porque si alguien veía a un niño a las cinco de la madrugada corriendo solo por las calles, seguro llamaría a la policía. Nada más faltaría eso, que Mireles tuviera que llevarlo a casa tomado del pescuezo.

Hizo el camino hasta la feria sin problemas, y una vez en ella supo que lo más importante era encontrar el lugar donde estaba la Cápsula de la Guerra Galáctica Virtual.

La feria estaba ya cerrada, sin luces, después de su primera noche de gran expectación. No tuvo que meterse en el recinto porque sabía que la cápsula no estaría dentro, sino fuera.

Muy bien protegida de las miradas ajenas... a excepción de la suya.

Se dirigió al lugar donde se encontraba la última vez, cuando la partida.

Nada.

Se dirigió al lugar de la primera vez, cuando la descubrieron.

Lo mismo.

Empezó a correr, sabiendo que debía estar por allí, cada vez más preocupado por el tiempo. Si la partida tardaba más de lo esperado...

Eso suponiendo que ganara.

Toño se detuvo en seco.

¿Cómo le iba a ganar a Tomor? No sabía nada de su mundo ni conocía ese secreto del que le había hablado.

Lo único que conocía eran las reglas y los sistemas de sus juegos de realidad virtual, y aquello no tenía nada que ver con eso.

Se sintió desamparado.

Y entonces, por el rabillo del ojo, pudo percibir aquel destello.

Giró la cabeza.

Y la vio.

La cápsula se encontraba medio escondida entre los árboles, en otra parte distinta de las otras ocasiones, reclamándolo con una pequeña sucesión de luces mortecinas.

Ya no había retroceso posible.

18

Se acercó despacio. Quería correr pero no podía. Quería escapar pero tampoco podía. Caminó hasta la cápsula y al llegar frente a su estructura, la miró con odio. Fuera lo que fuera aquello, era realmente espantoso.

Y si después de todo sólo se trataba de un maldito juego...

Se aproximó a la máquina de la entrada y se detuvo frente a su gris y neutra estructura. Hubiera podido ser una simple máquina expendedora de refrescos. Y sin embargo...

Volvió a leer las instrucciones; aquellas enormes palabras escritas en caracteres negros y rojos tan espectaculares como tétricos:

"Cuidado, extraño, estás a punto de entrar en el Reino de Tomor, y si lo haces... ¡puede que nunca más vuelvas a salir de él!".

Tal vez mueras. Mejor para ti. Tal vez quedes prisionero. Peor para ti. La eternidad en la galaxia es muy larga. Pero no busques ayuda. Nadie te hará caso. Nadie te creerá. De ti, y sólo de ti, depende la victoria. No hay normas. No hay reglas. Todo vale. Tomor es la ley. Tomor es tu Señor. Tomor es la Suprema Luz de las Sombras. Si cruzas esta puerta, estarás solo. ¿Te atreves?".

Claro que se atrevía.

—He vuelto —dijo a la máquina—. Vengo a terminar la partida. Abre.

Miró la puerta.

Y no se sorprendió cuando ésta se abrió en forma automática.

Traspuso su umbral y se encontró en la pequeña cámara oscura. La primera puerta se cerró a su espalda. La segunda permaneció inmóvil, con sus letras fosforescentes completando las instrucciones de la entrada:

"La partida no tiene fin. Solamente termina con la victoria... o la derrota. Si cruzas esta puerta disponte a luchar".

Estaba dispuesto a luchar.

—Bienvenido, chico —oyó un susurro.

También lo esperaba. Al partir la vez anterior, a mediodía, creyó haber escuchado esa misma voz diciéndole que volvería. No había sido una ilusión. Pues bien, allí estaba.

Había vuelto.

Tenía miedo, pero no quería que se notara.

—¡Abre de una vez, no tengo todo el tiempo del mundo y quiero acabar cuanto antes con esta farsa! —gritó.

No tuvo necesidad de repetirlo. La segunda puerta se abrió y su acceso al interior de la cápsula quedó despejado.

Todo seguía igual. Caminó enseguida hacia su cabina y entró en ella. Aunque le costaba respirar y sus músculos daban la impresión de estar agarrotados, no se detuvo a pensar. Sólo actuaba.

Concentrado.

Tomó el casco, lo introdujo en su cabeza y luego metió las manos en los guantes de mando.

Instantáneamente entró en el Reino de Tomor.

19

Ni siquiera pudo mirar a su alrededor.

En un instante, la primera oleada de pájaros de acero se abatió sobre él.

Pero ya tenía la primera arma en la mano.

El chorro de fuego iluminó el cielo, diseminando tonos rojizos por doquier. La bandada de pájaros negros se achicharró en el aire, llenándolo de gritos agónicos tan reales y espeluznantes, que Toño tuvo que taparse los oídos. En un dos por tres, la acción había empezado... y terminado.

Esperó a que aparecieran los gusanos devoradores de pájaros, como la vez pasada, pero en esta ocasión no salieron de la tierra.

Quizá no les gustaran los pájaros quemados.

Se preparó empuñando otra arma con la mano derecha, la manopla paralizadora, y tras tirar el ya inútil fusil lanzallamas, con una sola carga, con la mano izquierda tomó el extraño artilugio que emitía ondas energéticas.

El Reino de Tomor le mostró el lado tenso de su calma.

Una falsa paz.

—¡Bien, chico! —tronó la voz de Tomor.

—¿Dónde estás? —vociferó Toño.

—Aquí, allá; en muchas partes —rio el monstruo—. Me alegro de que hayas vuelto. Tu amigo se sentía muy solo sin ti.

—¡Habla menos y lucha! —lo retó.

Una carcajada hizo estremecer cada centímetro de la tierra virtual.

—¡Vaya, eres todo un personaje! ¿Acaso no tienes miedo?

—¡No!

—Deberías tenerlo. Y creo que lo tienes. Los humanos están locos.

Nuevamente lo llamaba "humano". Ya lo había hecho para ordenar que fueran capturados con vida pues "necesitaba su energía".

Toño se estremeció.

—Tus sensores muestran una gran concentración de adrenalina —indicó Tomor.

—¡Eres tramposo, juegas con ventaja sobre mí!

—No me gusta perder.

—Entonces sal y pelea, y hazlo con honor.

Una segunda carcajada atronó el aire.

—No voy a salir, pequeño —dijo el monstruo—. Tendrás que encontrarme y no será fácil. Prepárate para luchar contra mis bestias de acero, y cuando comprendas que no tienes escapatoria, prepárate para quedarte aquí eternamente.

—¡No eres más que una ilusión, monstruo! —volvió a gritar Toño.

—¿Eso crees?

De pronto, la voz de Alex se hizo audible. Una voz cargada de miedo y angustia.

—¡Toño, por favor, sácame de aquí!

—¿Alex?

—¡Está loco y es horrible! ¡Pero ten cuidado, Toño, porque...!

Fue como si le taparan la boca de repente.

—¡Alex! —bramó Toño.

La única respuesta que obtuvo fue la aparición de centenares de serpientes articuladas que emergían de la tierra, como los gusanos comepájaros.

—¡Vamos, mis pequeñas, vamos! —ordenó feliz Tomor—. ¡Atrápenlo!

20

Barrió con las serpientes usando ondas magnéticas, que las destrozaron haciéndolas estallar. Luego aparecieron manadas de lobos negros, con ojos de fuego y dientes más afilados que los de los pájaros. Los destruyó con la manopla paralizadora que, tras inmovilizarlos, los redujo a pedacitos. La tierra del reino se convirtió en un sembrado de cadáveres y, finalmente, los gusanos comenzaron a limpiarla.

Toño no dejaba de avanzar.

Debía encontrar el castillo de Tomor.

Para eso tenía que movilizarse mucho, y mantenerse cubierto, pero sin dejar de escalar lugares altos para localizarlo.

Algo difícil cuando los ataques de las bestias sucedían sin cesar.

Del cielo llovieron arañas, que combinaron su ataque con el de las hormigas. Toño logró sacar el líquido que las repelía mientras se concentraba en las arañas.

La manopla paralizadora fue la primera en quedarse sin energía.

—¡Eres un tramposo! —dijo elevando la voz para que Tomor lo oyera—. ¿Qué quieres, que me quede sin armas? ¡Eso no es justo!

No obtuvo respuesta.

Finalmente acabó con las arañas, antes de hacer lo mismo con las hormigas.

El siguiente ataque estuvo a cargo de siete leones terroríficos.

Nunca hubiera imaginado que él, amante de los animales y defensor de la naturaleza, tuviera que matar leones, pero se trataba de salvar su vida y, de todas formas, aquellas bestias no eran reales. Bueno, al menos no eran de su mundo.

Después de los leones, hicieron su aparición dos tiranosaurios.

Eran tan altos como una montaña y tan feroces que Toño se vio obligado a retroceder para buscar una mejor posición de defensa, porque no logró abatirlos con las armas que llevaba encima. Ni siquiera con la pistola que lanzaba aquel arcoiris mortal que atrapaba a cuantos caían bajo su influjo.

Subió a una colina a la carrera, pero los dinosaurios eran también muy rápidos.

—¡Creía que querías atraparme vivo! —le gritó a Tomor.

Por segunda vez, no obtuvo respuesta.

Llegó a la cima de la colina y desde ella pudo ver un vasto mundo a su alrededor, pero no había rastro del castillo infernal. Eso lo enfureció. No sabía la hora, pero el tiempo corría aprisa. Tenía que salvar a Alex y salir de allí para llegar a sus casas antes de que...

Increíble: pensaba en sus padres y en llegar a tiempo, cuando el verdadero peligro estaba allí.

Si no derrotaba a Tomor, ni él mismo conseguiría salir de la cápsula.

Salvo que se quitara el casco.

No pudo pensar mucho en esa posibilidad cobarde, pero válida, porque los dos dinosaurios se le echaban encima. Les disparó, pero eran demasiado grandes como para sufrir algún daño con sus armas.

Iba a morir.

O a ser apresado, que era lo mismo.

Entonces recordó algo.

Y disparó al suelo, a los pies de los dinosaurios, con todo el arsenal que llevaba.

Recordó que había estado a punto de caer, cuando la tierra se debilitó y se abrió directo a las llamas del subsuelo.

No tuvo que disparar mucho. Bastaron unos disparos. El peso de las enormes bestias hizo el resto. Bajo ellas, muy cerca de él, se abrió un inmenso boquete que las engulló. Sus gritos agónicos se oyeron espeluznantes, y todavía más al quemarse.

Toño ya no se detuvo.

Empezó a disparar contra todo, sin miedo a malgastar balas, energía o capacidad defensiva y de ataque.

En unos segundos el Reino de Tomor se volvió un infierno tan dantesco como el del subsuelo, con la tierra herida por grandes agujeros, los árboles destrozados y cuanto había cerca o lejos sacudido por aquel violento terremoto.

Parecía como si todo fuera a desaparecer de un momento a otro.

21

La voz de Tomor lo detuvo.

—¿Qué haces?

Al principio, Toño no le hizo caso. En vez de eso continuó disparando.

—¿Te has vuelto loco? ¿Qué haces?

Ahora sí dejó de disparar.

—¿Tú me lo preguntas? Aquí no hay reglas, ¿recuerdas? Todo vale. Pues bien, estoy destruyendo tu mundo.

—No conseguirás nada.

—Tal vez.

Toño lanzó otra serie de disparos. Una montaña entera se hundió estrepitosamente en medio de explosiones multicolores y de una marea de magma ardiente que provocó una ola gigante en la superficie.

La ola comenzó a deslizarse quemando la tierra, los gusanos que salían de ella y cuanto hallaba a su paso.

—Eres valiente, chico —ponderó Tomor.

—¡Vete al diablo!

—Deberías unirte a mí, a tu Señor.

—¡Estás loco, monstruo!

—No, el loco eres tú. Eres bueno, pero no lo suficiente para mí. Y puedo demostrártelo.

—¡Anda, ven a luchar y demuéstramelo! —lo retó Toño.

—Tengo otras formas de probar lo que digo.

Acababa de pronunciar estas palabras cuando a espaldas de Toño se escuchó un ruido de cadenas. Volvió la cabeza y vio su origen.

Tanques.

Tres tanques negros, descomunales, provistos de dos cañones, uno delante y otro detrás, torretas con ametralladoras, cañones lanzamisiles, cañones lanzallamas, cañones lanzagranadas. Y parecía que se movían solos.

Pero no era así.

Toño vio los robots que los controlaban.

Fue lo último que captaron sus ojos antes de que las primeras explosiones le cayeran cerca.

Salió disparado por el aire y cayó al suelo, cerca de una grieta humeante. Se aferró a la tierra y se puso de pie. Permaneció erguido apenas un segundo. Otra serie de explosiones lo hizo caer, aturdiéndolo. Tomor utilizaba probablemente lo más fuerte de su reino.

Toño echó a correr hacia la izquierda, porque por la derecha y por el frente todo estaba en llamas. Mientras lo hacía, disparó sus primeras ráfagas contra los tanques.

Fue como si quisiera darle a un elefante con una resortera.

¿Qué pretendía Tomor?

¿Qué quería demostrarle?

¿Que era más fuerte? ¿Era eso?

Toño se protegió tras una gran roca, ocultándose entre la humareda. Si uno de los tanques lo veía, ni cien rocas como aquélla le impedirían saltar de nuevo por los aires. Aprovechó su pequeña ventaja, se asomó, apuntó y disparó.

Todo tenía un punto débil, hasta aquellos engendros metálicos.

Lo descubrió, aunque por azar. Uno de los disparos de láser rebotó contra la torreta y alcanzó al robot en su sistema operativo, es decir, en pleno pecho. En medio de una catarata de luces... el tanque se quedó detenido.

—¡Bien! —cantó Toño.

Se asomó de nuevo y apuntó directamente al robot que guiaba el segundo tanque. Tenía buena puntería. Había practicado mucho.

Acertó.

Pero ya no tuvo tiempo de alegrarse, y menos de preparar su tercer disparo con destino al último tanque.

Desde la torreta ametralladora una ráfaga lo alcanzó de lleno en el estómago.

Y cayó al suelo.

Vio la sangre, sintió el dolor.

Se dio cuenta de que iba a morir.

No lo entendió.

Creía que Tomor quería atraparlo vivo. Había confiado en ello.

Pensaba...

¡Iba a morir!

22

De nuevo se oyó la voz de Tomor.

—Levántate, chico.

¿Levantarse? El muy...

—Vamos, te quedan dos vidas.

Toño abrió los ojos como platos. Volvió a mirarse la herida.

Ya no le dolía, y la sangre comenzó a esfumarse, a convertirse en un ligero humo color rosa.

La herida en su estómago estaba cicatrizando por sí sola y su uniforme volvía a recuperar la textura y consistencia de antes.

¡Le quedaban dos vidas!

¡Como en los juegos! ¡Como en casi todos los juegos! ¡O Tomor era un fantasma que alardeaba de su poder o sí había reglas establecidas, las más elementales y correctas!

¡Cada participante disponía de varias vidas, y el juego tenía varios niveles de dificultad hasta la batalla final!

—¿Has visto cómo no eres lo suficientemente bueno para mí? —dijo Tomor—. Te dije que te lo demostraría. Ya te he matado una vez, y lo volveré a hacer de nuevo antes de resolver si te hago prisionero, como a tu amigo, o te mato. Como buen luchador, merecerías morir en el campo de batalla.

—Creí que necesitabas mi energía o algo así.

Hablaba con Tomor, pero escuchaba el ruido de las cadenas del tercer tanque. No se había olvidado de él. Sabía que en ese momento el artillero estaría apuntando hacia donde se ocultaba, para matarlo por segunda vez.

—Sí, en efecto quería tu energía —reconoció el monstruo—, pero puedo atraer a otros ingenuos como ustedes.

Toño salió de atrás de las rocas. Fue muy rápido. Mucho más que el robot que dirigía el tanque.

Su disparo lo alcanzó de lleno en el pecho.

El tanque se detuvo, inservible.

—¿Qué me dices a eso, pedazo de bestia? —dijo Toño triunfante.

La respuesta de Tomor no se hizo esperar. Fue especialmente rabiosa. De todas partes comenzaron a salir plantas carnívoras, con esos mismos dientes acerados y filosos que cualquiera de los animales de ese mundo.

Toño no se entretuvo en pelear con ellas.

Se levantó y echó a correr.

Había visto un río al pie de la elevación de terreno en la que se hallaba.

Las plantas le salieron al paso, tratando de interceptarlo, pero reaccionó con agilidad. Por detrás, la tierra seguía hundiéndose, carente de cohesión después de haberla aflojado con sus disparos. Las explosiones hacían retumbar el ambiente. El fuego interior salía ahora y abrasaba la tierra del reino.

Pero Toño no huía de eso.

Iba hacia el río porque había tenido una idea.

Según recordaba, todos los castillos se hallaban en zonas altas y, por tanto, si se dirigía río arriba, tenía una posibilidad.

Desde luego era mejor que permanecer allí.

—¡No trates de huir, no seas tan necio! —gritó Tomor con fuerza.

Toño ni le contestó. Intentó llegar al río en un par de minutos, no sin antes deshacerse de un enjambre de avispas, grandes como gorriones y un oso que lo perseguía para estrujarlo entre sus patas. Tanto las avispas como el oso eran del mismo frío metal del que estaban hechos todos los seres que habitaban el Reino de Tomor.

Cuando por fin alcanzó el río, estuvo a punto de emitir un alarido de júbilo.

Porque cerca de donde estaba vio una barca.

Una barca con un turborreactor propulsor.

Corrió hacia ella, con los sentidos alerta, pero ningún nuevo peligro le salió al paso.

Pensó que ahora la ventaja estaba de su parte, y eso le hizo confiarse.

Pero justo al entrar en la barca y accionar el turborreactor comprendió lo que pasaba.

Porque el río estaba atestado de tiburones y cocodrilos feroces.

23

La barca se internó en las tempestuosas aguas, yendo en sentido opuesto al de la corriente, pero Toño ahora sabía que en cualquier momento podría volcarse, si antes no eliminaba ese peligro.

No podía disparar la manopla, porque si solidificaba el río entonces perdería su oportunidad de llegar al castillo. Lo mismo ocurría con las ondas energéticas: tampoco podía enviarlas porque perderían su poder al entrar en contacto con el agua. Nada más le quedaba la pistola láser y...

Miró su equipo. Un par de armas aún permanecían unidas a él, pero no tenía la menor idea de para qué podían servir.

Tomó la primera.

Los tiburones ya nadaban en círculos alrededor de la barca.

Los cocodrilos simplemente esperaban.

Disparó un arma y, al momento, un chorro de agua salió de su cañón. Genial para oxidar a cualquier bicho metálico, pero si aquellas criaturas ya estaban en el agua era por algo.

Tomó la segunda.

En ese momento, un tiburón golpeó la barca. Toño tuvo que sujetarse fuertemente para no caer, mientras intentaba no perder el rumbo, porque si eso llegaba a ocurrir, terminaría estrellándose contra las paredes del acantilado por el que ahora estaba pasando: una estrecha y profunda garganta de altas paredes.

Disparó la nueva arma al tiburón más cercano; y de ella salió un dardo fulminante que fue a clavarse en el cuerpo del animal.

No pasó nada.

El tiburón ni se inquietó.

Iba a producirse el golpe definitivo contra la barca cuando, de pronto, el dardo se abrió en cuatro partes aceradas, se puso a girar sobre sí... ¡y perforó el cuerpo del tiburón!

Luego lo hizo estallar.

Los pedazos del animal muerto llenaron el agua del río y de la misma forma que ocurre en la vida real, los restantes tiburones y los cocodrilos se olvidaron de Toño y de la barca, para dar buena cuenta de su compañero destrozado, al cual devoraron con ansiedad feroz.

Por si acaso, Toño disparó dos dardos más.

Eso mantendría ocupados a los tiburones y él podría alejarse río arriba.

Puso el turborreactor a máxima potencia, y se relajó un par de segundos, no más.

La primera de las piedras cayó frente a él, levantando una gran ola que lo empapó.

Miró hacia arriba. El cañón por el que estaba navegando era ahora una trampa mortal.

Desde los riscos algo o alguien le estaba arrojando una verdadera lluvia de rocas. Tenía que esquivarlas y seguir sin detenerse.

Ahora era todo o nada.

Recordó un juego parecido, que consistía en no perder de vista cada una de las rocas e irlas esquivando. Caían muchas, pero no al mismo tiempo. Quien las arrojaba lo hacía de una en una. Ésa era su ventaja.

Así que se concentró.

Y a lo largo de los minutos siguientes, durante un kilómetro o más de río, navegó en zigzag, sorteó las rocas, las esquivó con prodigiosa habilidad, mantuvo la barca a flote evitando que zozobrara y logró salir del cañón.

Cuando el acantilado quedó atrás, Toño respiró más tranquilo.

Pero sin bajar la guardia.

Sin embargo, contrario a lo que esperaba, esta vez no se produjo un nuevo ataque, porque en la lejanía, majestuoso aunque terrorífico, elevado sobre una colina en medio de un gran valle o un paisaje parecido, se erguía el imponente y gigantesco castillo de Tomor.

Su destino.

24

Nada ni nadie lo detuvo hasta llegar al final de su viaje. Condujo la embarcación a una playa, en cuya arena nacía un sendero que conducía directamente hacia un enorme y alto muro, presidido por una puerta gigantesca.

Tal vez a Tomor ya se le habían terminado todos sus recursos.

No, desde luego que no. Justo allí, para protegerlo, era donde debía de haber más peligros.

Toño bajó de la barca, con la pistola de rayos láser en una mano y la manopla paralizadora y disgregadora en la otra.

Luego avanzó lentamente, paso a paso, acercándose a la puerta en cuyo centro se distinguía el mismo signo extraño que Tomor llevaba en el pecho de su armadura.

Un sol cruzado por un rayo.

Sólo que no era un rayo, ahora podía verlo mejor: era un cuerno.

Como el que Tomor tenía en la frente.

Toño llegó al pie de la puerta y no se entretuvo en llamar.

Levantó su manopla y la accionó. El impacto empezó a resquebrajar la madera, hasta que la puerta se desmoronó con gran estrépito.

Al otro lado, Toño vio algo que no esperaba.

Un laberinto.

—¡Oh, no! —exclamó.

Un laberinto infinito, enorme, que rodeaba el castillo de Tomor.

Aquello no iba a terminar nunca.

Y ya no le quedaba mucho tiempo.

—¡Tomor! —gritó.

No hubo respuesta.

—¡Tomor, maldita sea! ¡Responde, cobarde!

—¿Por qué me llamas cobarde? —quiso saber al fin el monstruo.

—¿Porque no quieres enfrentarte a mí? ¿Me tienes miedo? ¿Y a qué viene ahora ese laberinto? ¡Bien sabes que tarde o temprano llegaré al castillo, así que... acabemos con esto de una buena una vez! ¡Sal y da la cara!

No creía poder convencerlo. Así que insistió.

—¿Te gusta jugar? ¡Pues a mí no! ¡O sales o me quito el casco!

—¿Y dejarás aquí a tu amigo?

Por respuesta, se llevó las manos al casco. Sólo estaba alardeando, pero no tenía opción.

Entonces el laberinto comenzó a esfumarse, a volatilizarse, como si se tratara de un espejismo. Probablemente lo era.

Desapareció.

Luego...

Tomor se materializó ante él.

El momento de la verdad había llegado.

25

De cerca, Tomor era aún más monstruoso. Toño comprendió el pánico de Alex al verse atrapado por sus garras. La cabeza de águila, que coronaba aquella altura de cinco metros o más, era fiera, y el cuerno que salía de su frente, tan singular como sus patas de elefante o los cuatro brazos de gorila. La armadura lo protegía bien, así que si tenía un secreto, como había dicho Tomor mismo, tal vez estuviera allí dentro.

¿Cómo saberlo?

Toño se quedó helado ante aquellos ojos sanguinarios y crueles.

Pero pensó en el secreto.

El secreto de Tomor.

Todos los videojuegos tenían un truco, pero ¿cuál era el de éste?

—Bienvenido a mi morada, joven cachorro —lo saludó el gigante.

—Ya era hora —Toño protestó.

Tomor frunció el ceño.

—Eres un arrogante fanfarrón, ¿verdad, jovencito? —dijo—. Pero mereces caer con honra.

Toño levantó su arma de rayos láser. Luego presionó el disparador. La descarga alcanzó a Tomor en el pecho.

No pasó nada.

Hizo lo mismo con la manopla.

El rayo paralizante no causó ningún efecto sobre la monstruosa criatura.

Parecía inmune.

—¿Convencido, pequeño? —manifestó Tomor.

—¡Eres un...!

—¿Vas a insultarme ahora? ¿No sabes perder?

—¡Aún no he perdido!

Le disparó uno de los dardos con los que aniquiló al tiburón. Le dio en el cuello, en plena carne. Esperó con la respiración contenida.

Tomor se lo arrancó con una de sus garras antes de que pudiera hacer efecto.

—De acuerdo, ahora me toca a mí —dijo.

Fue muy rápido, pero Toño lo fue más aún. Esperaba algo como aquello. En el momento en que vio que una de las cuatro garras del monstruo desaparecía por detrás de su cuerpo, mientras se arrancaba el dardo y lo distraía con ello, supo lo que iba a hacer y saltó.

El disparo del arma de Tomor perforó el suelo, allá donde Toño acababa de estar.

—¡Que comience la fiesta! —vociferó feliz el señor del reino.

Le lanzó varios disparos más. Toño rodó sobre sí mismo para evitarlos, cayendo en dirección al río. Por si acaso, Tomor destruyó la barca. Ya no podía escapar. Las aguas volvían a estar infestadas de cocodrilos y tiburones.

—¡A ver, fanfarrón, muéstrame lo bueno que eres ahora!

Toño se sintió perdido. Era la batalla final, e iba en serio. Lo había provocado y ahora Tomor quería demostrarle que él era el mejor y que lo tenía en su poder.

Y no sabía cómo hacerle frente.

Sin normas, sin reglas, sin...

Aunque, fuera como fuera, era un juego.

¡Un juego!

Un juego que iba en serio pero... ¡un juego al fin y al cabo!

Toño miró a Tomor, luego observó el signo de su armadura. Tal vez...

Un cuerno.

Como los antiguos unicornios mitológicos.

¿Sería posible?

Los unicornios perecían si alguien les arrancaba el cuerno. Ahí se encontraba todo su poder, su fuerza, lo que los distinguía de los demás animales.

¡Era su única posibilidad!

¿Pero cómo llegar hasta Tomor, tan cerca como para arrancar el cuerno de su frente?

—Aún puedes rendirte, chico —le decía justo en ese instante, mientras disparaba sin cesar.

Toño se detuvo.

Se puso de pie.

—¿Rendirme ante un tipo en parte mono, en parte elefante y en parte águila, pero 100 por ciento estúpido? —lo insultó.

El siguiente disparo de Tomor lo alcanzó de lleno en el pecho.

Lo había matado por segunda vez.

26

Cayó al suelo, y ya no se movió.

—Vamos, chico, levántate —se carcajeó Tomor—. Recuerda que todavía te queda una vida.

Toño continuó inmóvil.

¿Y si Tomor le disparaba allí mismo?

Entonces... ¡adiós!

—¿Te has quedado sin fuerzas?

Contuvo la respiración.

"Vamos, ven monstruo, ¡acércate!", gritó en su mente. "¡No te quedes ahí y disfruta tu victoria! ¡Demuéstrame como todos los fanfarrones grandulones, que eres estúpido!".

Tomor disfrutaba de su segunda victoria.

Preparaba la tercera y definitiva.

Salvo que su intención fuera capturarlo y llevarlo junto a Alex.

Los segundos siguientes transcurrieron con pesada lentitud.

Hasta que el monstruo se movió.

Aproximándose a Toño.

Un paso, dos, tres...

Lo sujetó con una de sus manazas como si fuera un juguete roto, un muñeco muy manejable. Toño se dejó manipular. Después lo levantó.

La enorme cara de Tomor apareció ante él.

—¡Hola! —lo saludó al ver que su víctima abría los ojos.

El cuerno. Estaba demasiado lejos todavía.

—Eres más feo de lo que pensaba —dijo Toño.

—¿Quieres que te triture como si fueras una polilla? —el monstruo lo amenazó.

—Sólo tengo una vida. No creo que desees quedarte sin diversión.

—Eres un humano listo.

—Y tú, un engendro idiota.

Un metro. Sólo un metro.

—¡Creo que me estoy hartando de ti! ¡Deberías estar suplicándome! —exclamó Tomor aproximando su enorme cabeza a él.

Toño fingió llevarse las manos a la cara, asustado por la voz y la cercanía de su vencedor.

Fue el penúltimo paso.

Tomor se relajó.

Y en ese momento, las manos de Toño se extendieron desesperadamente hacia el cuerno. Lo asieron con fuerza, se abrazaron a él y tiraron con todas sus energías.

—¿Pero qué...? —comenzó a decir la bestia.

Toño saltó hacia adelante.

El cuerno crujió en su base.

—¡Aaah! —aulló Tomor.

Él mismo se lo arrancó, o ayudó a Toño a hacerlo. Quiso apartarlo, y al tirar del niño, como estaba asido firmemente al cuerno, no hizo otra cosa más que separarlo de su frente.

Toño pudo ver el horror tiñendo los ojos crueles y ahora asustados del monstruo.

—¡¡¡NOOO!!! —chilló Tomor.

Cayó de espaldas, con Toño encima de él, todavía asido a su cuerno.

De repente todo se hizo borroso.

Todo.

Toño no entendía nada.

Tomor estaba temblando, agonizante, pero apenas podía verlo ya con normalidad.

Su imagen se desvanecía.

Todo el reino se desvanecía.

Se miró las manos, el cuerpo.

¡También él se desvanecía!

¿Qué estaba sucediendo?

27

Tomor, su reino, todo se esfumó.

¡Zap!

Toño estaba temblando.

Hasta que se vio las manos. No las de su equipo virtual, sino las suyas, las de verdad.

Y el cuerpo.

Sus piernas, sus pies.

Estaba en tierra, en tierra firme.

—¡Toño!

Giró la cabeza.

—¡Alex!

Los dos amigos se abrazaron, agitados y convulsos. No entendían nada, solamente que se encontraban a salvo, de vuelta.

Se dieron cuenta de que no había ni rastro de la Cápsula de la Guerra Galáctica Virtual. Todo había desaparecido.

—¡Ha sido algo espantoso, Toño, horripilante! —sollozó Alex.

Así que había sido verdad.

Todo.

—¿Pero qué era...? —Toño trató de hablar.

Se detuvo en seco. Un ruido, por encima de sus cabezas, hizo que sus corazones se paralizaran.

Los dos miraron hacia arriba.

Vieron la cápsula, aunque desde abajo, y de diferente forma. Ya no parecía un platillo volador, ¡ahora lo era! Y mientras se elevaba despacio, sus luces ganaban cada vez más intensidad.

Toño y Alex abrieron la boca y los ojos.

Como platos.

Eso fue un segundo antes de que la nave saliera disparada, en el mayor de los silencios.

Un instante después ya no podía verse ni un solo rastro de ella.

Los amigos sólo detuvieron su carrera cuando llegaron a casa de Alex.

Eran cuarto para las nueve de la mañana.

—¡A tiempo! —suspiró el muchacho.

—Yo no lo conseguiré —dijo Toño—. De seguro ya vieron que no estoy en casa y tendré que pagar las consecuencias.

—Lo contaremos y...

—Nadie nos creerá. No seas tonto.

—Claro.

Toño hizo un ademán de despedida para emprender su camino a casa.

—¿Quiénes eran? —preguntó Alex, más para sí mismo que dirigiéndose a él.

—Nunca lo sabremos —dijo Toño—, pero desde luego andaban de caza. Ha de ser su forma de capturar a la gente. Jugando.

—Tuve suerte de que tú fueras tan bueno jugando, el mejor —manifestó Alex.

Toño pensaba en el descampado de los marcianos y en el granjero Porfirio, quien años atrás juró haber visto un ovni el día en que desaparecieron todos sus animales.

Tal vez...

—Debo irme —se despidió—. ¡Hasta luego!

—¡Luego iré para saber cómo te fue!

Su carrera fue rápida, pero no llegó a su casa hasta cinco minutos antes de las nueve. Vio a lo lejos el reloj de la torre de la iglesia. Aunque fuera día festivo, sus padres se levantaban temprano.

Subió por la pared como una mosca, siguiendo el camino que se sabía de memoria y aprovechando los huecos que conocía tan bien. Entró por la ventana y se dirigió a la cama.

Cuando acababa de quitar la almohada de debajo de la colcha, en ese momento se abrió la puerta y apareció su madre.

Toño se quedó helado.

Y se preparó para...

—Ah, ya te levantaste —dijo ella—. Creía que se te habían pegado las sábanas.

—No, mamá, acababa de... vestirme y de tender la cama —dijo él, boquiabierto.

—De acuerdo, baja a desayunar, ¿quieres?

—Sí, mamá.

Ella no se fue. Lo miró con detenimiento.

—¿Qué te pasa? —quiso saber.

—Nada —puso una cara de lo más inocente—. No pasé muy buena noche.

—¿Te encuentras bien? —se alarmó su madre.

—Oh, sí, estoy bien —la tranquilizó Toño.

—De acuerdo, mejor así, porque tu padre quiere ir a la feria por la tarde —lo apuntó con un dedo inflexible—. Pero en lo que respecta a ti el castigo continúa, o sea que nada de salir de casa esta mañana, ¿de acuerdo?

—Sí, mamá.

—¡Ay, hijo! —suspiró ella—. ¡Acabarás tonto con ese dichoso casco!

Cerró la puerta al salir del cuarto.

Vaya suerte.

No lo habían descubierto, por la tarde todos irían a la feria y...

En cuanto al casco, ya no estaba tan seguro de querer que se lo devolvieran.

No le habían quedado muchas ganas de volver a jugar a nada parecido al juego de la Cápsula de la Guerra Galáctica Virtual.

Claro que... tenía que practicar.

Por si regresaba.

Impreso en los talleres de
Litográfica Ingramex, S.A. de C.V.,
Centeno 162-1, Col. Granjas Esmeralda,
México, Distrito Federal.
Diciembre de 2009.